C000277747

Llyfrau Llafar Gwlad

Y Cymry ac Aur Colorado

Eirug Davies

Argraffiad cyntaf: Gorffennaf 2001

(h) *Gwasg Carreg Gwalch*

Cedwir pob hawl.
Ni chaniateir atgynhyrchu unrhyw ran o'r cyhoeddiad hwn, na'i gadw mewn
cyfundrefn adferadwy, na'i drosglwyddo mewn unrhyw ddull na thrwy unrhyw
gyfrwng, electronig, electrostatig, tâp magnetig, mecanyddol, ffotogopïo,
recordio, nac fel arall, heb ganiatâd ymlaen llaw gan y cyhoeddwyr, Gwasg Carreg
Gwalch, 12 Iard yr Orsaf, Llanrwst, Dyffryn Conwy, Cymru LL26 OEH.

Rhif Llyfr Safonol Rhyngwladol:
0-86381-740-8

Lluniau'r clawr: Llyfrgell Denver

Argraffwyd a chyhoeddwyd gan Wasg Carreg Gwalch,
12 Iard yr Orsaf, Llanrwst, Dyffryn Conwy, LL26 OEH.
℡ 01492 642031
🖺 01492 641502
✆ llyfrau@carreg-gwalch.co.uk
lle ar y we: www.carreg-gwalch.co.uk

Cydnabyddiaeth

Daw'r darluniau a'r deunydd gweledol o archifau Llyfrgell Denver (rhoddir rhif catalog y llyfrgell o dan bob un ohonynt, heblaw'r llun ar dudalen 48, a ddaw o gasgliad Cymdeithas Hanesyddol Colorado).

Diolchiadau

Seiliwyd y gyfrol fechan hon ar ddarlith a draddodwyd rai blynyddoedd yn ôl yng Nghanolfan Astudiaethau Dynoliaeth, Prifysgol Harvard ac rwy'n ddiolchgar i nifer o fyfyrwyr y brifysgol honno am eu diddordeb a'u hawgrymiadau. Trwy'r Athro Ford, pennaeth yr Adran Geltaidd, medrais fanteisio ar adnoddau'r brifysgol gyda'i chasgliad sylweddol o hen ddeunydd yn y Gymraeg. Hefyd, rhaid cydnabod Llyfrgell Denver a Chymdeithas Hanesyddol Colorado am eu parodrwydd i ganiatáu defnyddio lluniau yn eu meddiant. Fy nyled pennaf er hynny yw i Dewi Morris Jones o'r Cyngor Llyfrau Cymru am fod mor amyneddgar gyda un a esgeulusodd ymarfer ysgrifennu'r iaith am flynyddoedd maith.

I'r tri gof

Yn Central City,
   John R. Morgan

Yn Denver,
   Gwilym Ddu o Went

Yn yr Hen Wlad,
   Fy nhad a gof Llan-non

'Cywreinrwydd yr Archadeiladydd a welir,
   Yn gosod yn drefnus bob maen yn ei lle;
Y creigiau sylfaenol osodwyd yn gyntaf,
   Fel byddai yr adail yn gadarn a chre';
Roedd angen cadernid i gadw trysorau
   A fu yn guddiedig am oesau di-ri',
Tan folltau y bwriad yn aros yr amser
   I'w dwyn i oleuni o'u celloedd sy'n ddu.'

Cynnwys

Denver a'r Mynyddoedd Creigiog 8
Y Dalaith 'Ganmlwyddiant' 10
Darganfod Aur 12
Central City yr Ymwelwyr 14
Cymry Cynharaf Central City 16
Tramwyo'r Mynyddoedd 18
Caledi Gaeafol a Llithriadau Eira 20
Caban y Mwynwr 22
Adfywiad Central City 24
Dinas y Cymylau, Leadville 26
Capel Russell Gulch 28
Gunnison a'r Tri Griff Jones 29
Mwynwyr Afreolus 31
Beirdd yr Ucheldir 49
Y Llywodraethwr John Evans 52
Yr Annuwiol 54
Dau Bentref Glo 56
Denver ei Hun 58
Llenorion Denver 60
Dringo Pike's Peak 64

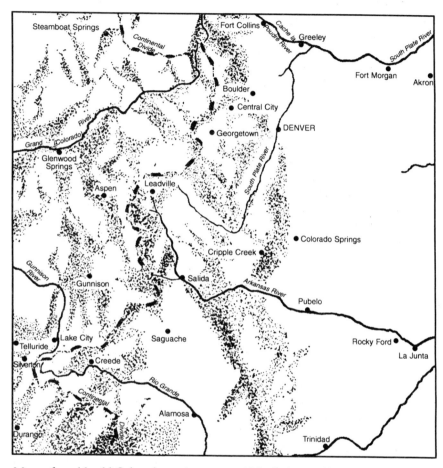

Map o fynyddoedd Colorado yn dangos y prif drefi a'r canolfannau mwyngloddio

Denver a'r Mynyddoedd Creigiog

Trwy gael fy magu yn un o bentrefi Cymru lle'r oedd siop o'r enw
Denver House, daeth cyfle cynnar i ymgyfarwyddo â chlywed am ddinas
fwyaf Talaith Colorado. Mae'r wraig a redai'r siop wedi hen farw erbyn
hyn ond ganwyd hi mewn tref gyfagos i Denver. Ar ôl colli'i thad yn
1888, a hithau'n dair oed, daeth ei mam â hi'n ôl i'r pentref, ac i ennill
bywoliaeth, agorwyd y siop gan roi iddi enw a fyddai'n atgoffa'r ddwy
o'u bywyd gynt.

I ymweld â Denver ei hun, rhaid teithio i ganol yr Unol Daleithiau,
rhyw 1,850 milltir o Fôr Iwerydd ac Efrog Newydd ond eto'n fyr o tua
1,300 o filltiroedd o'r Môr Tawel a San Fransisco. Mae'r Mynyddoedd
Creigiog i'w gweld yn esgyn o derfynau gorllewinol y ddinas; trwy
Colorado gyfan cwyd rhyw hanner cant ohonynt hyd at 14,000 o
droedfeddi uwchben y môr. Gorwedd eira arnynt drwy gydol y
flwyddyn a chan nad yw'r llinell dyfiant cyn uched â rhai o'r copaon, ni
thyf yr un goeden ar y llechweddau uchaf.

Er mor iachus yw aer tenau'r mynyddoedd, mae'n cymryd amser i
ymgyfarwyddo ag ef. Heblaw am flinder dros dro, ni ellir osgoi sylwi ar
ambell beth anghyffredin sy'n digwydd yn ei sgîl; 'llanwasom y pot coffi
â dŵr oer, dodasom y caead arno, a chyn pum munud yr oedd yn berwi
ac wedi chwythu'r caead i ffwrdd'. Dyna fel y rhyfeddwyd un gan y
ffordd y daw dŵr i'r berw heb lwyr boethi i'r tymheredd arferol.

Yna roedd y gaeafon: 'Mae golwg ar y lle hwn yn ddigon o ddychryn
i unrhyw fod i edrych arno – popeth wedi ei orchuddio gan eira; rhyw
fôr o eira ydyw hi yma – ystormydd enbydus ers dros ddau fis, a
phennau'r mynyddoedd dan fantell ddu cyhoeddwr yr ystorm, yr hwn
sydd a düwch ar ei wedd, ac yn edrych yn ddigofus. Ymddengys ar rai
adegau fel pe yn benderfynol o symud y mynyddoedd yma oddi ar eu
sylfeini, pan y mae y corwyntoedd yn cael eu gollwng, gan orgrynu yr
eira yma a thraw i bob cyfeiriad ar eu hadenydd, coed cedyrn yr allt yn
cael eu diwrneiddio, chwiban brawychus y corwynt i'w glywed yn
byddaru'r glust wrth fyned heibio . . . '

Ymysg y cyntaf o blith y Cymry i ymgartrefu yng nghyffiniau
godre'r mynyddoedd yn Denver oedd Mrs Davies a'i merched. Teithiodd
drwy'r ardal ar ei ffordd i Utah yn 1856, ond pan ddiflasodd ar bethau
yno dychwelodd yn 1860. Trefnodd i godi tŷ cyffion yn gartref a mab
yng nghyfraith iddi oedd marshal cyntaf Denver.

O'r cyfnod y cyrhaeddodd y teulu hwn, gwelodd Denver gynnydd
cymharol gyson yn nifer y Cymry a drigai yno. 'Yr wyf yn deall fod yma
rai *champion skaters* yn ein plith,' ysgrifennodd un yn 1893. 'Cafwyd

skating party y noswaith o'r blaen. Yr oedd y rhew mor bleserus fel yr anghofiwyd yn llwyr am y trên, felly gorfod iddynt ei thrampio hi i fyned adref.'

Rhyw gadwyn aruthrol a mynydd uwch mynydd
    Farchogant ei gilydd y naill ar y llall;
Pen mynydd yn orsedd i fynydd goruchel,
    Gogoniant eu tyrau mewn urddas heb wall;
Clogwyni ysgythrog fel pe yn gogwyddo
    O'u safle rhamantus, mae'r olwg yn syn;
Eu pennau yn foelion yn arwydd o henaint,
    Mewn cerni tragwyddol uwch dyffryn a glyn.

St Elmo, Colo, 1882   Cynfelyn

Y Dalaith 'Ganmlwyddiant'

O dipyn i beth y derbyniwyd Colorado i'r Unol Daleithiau. Prynwyd rhan o'r tir oddi wrth Ffrainc yn 1803 ac yna, gam wrth gam, meiddiannwyd y gweddill oddi ar Tecsas a Mecsico. Yn 1861, trefnwyd i'r cyfan fod yn diriogaeth ac iddo gael ei osod dan reolaeth y llywodraeth yn Washington. Daeth cam pwysig arall yn 1870 pan gysylltwyd Denver â'r brif reilffordd a groesai'r cyfandir – dyna a ddenodd y llu o sefydlwyr newydd. Llwyddodd hynny hefyd i roi Colorado yn y sefyllfa o fedru cael ei derbyn yn dalaith gyflawn o'r Undeb yn 1876, a chan ei bod yn gan mlynedd union ers sefydlu'r Unol Daleithiau, datblygodd y traddodiad o gyfeirio at Colorado fel y dalaith 'ganmlwyddiant'.

O ran golwg, mae'r dalaith yn ymrannu'i hun bron drwy'i chanol. O fod yn hollol wastad yn y dwyrain, mae'r tirwedd yn newid yn anghredadwy o gyflym i'r mynyddoedd enfawr a geir tua'r gorllewin. Dyma'r wlad a oedd gynt yn gynefin i'r deinosor (neu'r cawrfil yn ôl barddoniaeth y cyfnod), a thu draw i'r prif fynyddoedd tuag at ffin Utah ceir y *Dinosaur National Monument*. Synnwyd Earl Douglass o Amgueddfa Pittsburg yn 1909 pan ddarganfuwyd esgyrn cynffonnau wyth o'r brontosaurus enfawr wrth ymyl ei gilydd.

Erbyn heddiw, y mwyaf nodedig o'r anifeiliaid sy'n parhau i grwydro'r mynyddoedd yw'r ddafad gorniog wyllt ac fe'i cysylltir â'r Mynyddoedd Creigiog yn anad unman arall. Ond yn ogystal, ceir yma amrywiaeth o greaduriaid eraill gan gynnwys eirth, ceirw, ac ambell lew mynydd. Mae Aspen heddiw yn un o'r trefi mynyddig sy'n adnabyddus am gynnal adloniant gaeafol, a hynny gyda digonedd o eira. Mor wahanol yr arferai'r awyrgylch fod, mae'n rhaid, pan aeth cynifer ati i archwilio'r mynyddoedd am aur: 'Poblogaeth Aspen yn 1880, *all told*, ydoedd 130 o wyr, un march, a dau ful.' Yn y cyfnod hwnnw roedd i'r ddau ful bwysigrwydd arbennig – sef '*pioneer* gwreiddiol, ffrind a chyfaill goreu y *miners* flynyddoedd yn ôl.'

Y dyn gwyn yn awr a drig
Yng nghhartref y dynion cyntefig;
Hen annedd wag, oedd tan y wig,
Yn union, teimlai yn unig.

Minteioedd o'i deulu yn fuan ddilynant,
O'r trefydd a'r gwledydd yn lluoedd dylifiant;
Am aur melyn, moethau a mwyniant,
Dyna'r eilun a'r holl a'i haddolant.

Aur, arian, meini, mynor,
Plwm, haearn, a glo yn ddidor;
Campus yw'r mwynau copor,
A'r pres mwy sydd yma'n stôr.

Trefydd heirdd ac awyr iach,
Ni welwyd trefydd glanach;
Ac o mor wych gweld mawr a bach
Heb sôn am salwch mwyach.

Ardal Gunnison, Colo, 1890   G.D. Griffiths

Darganfod Aur

Un o'r mwyaf adnabyddus o blith mynyddoedd Colorado yw'r Pike's Peak, a enwyd ar ôl Zebulon Pike, sef y gŵr a archwiliodd yr ardal yn 1806. Fel *'Pike's Peak or Bust'* y cyfeirid at y dynfa ddi-baid am yr aur a ddarganfuwyd yn 1859. Nid at gyffiniau'r mynydd ei hun y teithiai pawb, ond yn hytrach, rhyw 60 milltir i'r gogledd iddo, at y man lle byddai dinas Denver yn datblygu.

Y sawl a ddechreuodd yr holl gyffro oedd tri brawd ac iddynt y cyfenw Russell. Deuent yn wreiddiol o'r Auroria yn Georgia – ardal lle bu hefyd ar un adeg gloddio am aur. Daethant o hyd i'r aur yn 1858, a'r cynharaf o drigolion Denver oedd y lluoedd a ddenid yno yn y gobaith o gael cyfoeth dros nos. Ond nid oedd yr aur ar gael yn ei ddigonedd, ac er gwaethaf anawsterau'r daith o'r dwyrain, dychwelyd yno'n dlotach fyth oedd diwedd y fenter i lawer.

Yna, yn 1859, penderfynodd gŵr o'r enw John Gregory (hefyd o Georgia) roi'r gorau i chwilio yn yr ardal aur wreiddiol a chrwydro rywfaint i'r mynyddoedd, a'r hyn y bu iddo ef ganfod a arweiniodd at yr holl archwilio pellach. Enwyd y cwm yn Gregory Gulch ar ei ôl ac arferid cyfeirio at yr ardal hon fel 'milltir sgwâr cyfoethoca'r byd'.

Er mai yn y rhan hon o'r dalaith y llwyddwyd gyntaf i wneud bywoliaeth trwy fwyngloddio, cyn hir sylweddolwyd fod aur yn ogystal â mwynfeydd eraill i'w canfod mewn cylch ehangach o'r Mynyddoedd Creigiog:

> 'ar waelodion afonydd ac mewn banciau o raian a thywod y darganfyddwyd yr aur gyntaf. Ond yn 1860, caed fod aur yn y creigiau callestr, yr hwn sydd yn talu yn well na'r aur a olchir o'r afonydd . . .

Ac ym mha le bynnag y deuid o hyd i wythïen addawol a beth bynnag gâi ei fwyngloddio, boed yn aur neu'n arian neu'n blwm, byddai rhywfaint o Gymry yn siwr o fod yno. Datblygodd llawer ohonynt allu arbennig i ddarganfod yr hyn oedd ar gael, neu fel y dywedwyd am un â'i wreiddiau yn Ffestiniog – 'Cywrain! *Well you bet*, y mae Griff yn gallu arogli aur yn y meini'.

PIKE'S PEAK

Coron aruchel ein caerau – heb ball
    Yw Pike's Peak drwy'r oesau;
Dan ei glog ceir gwel'd yn glau
Gwyrdd dyweirch gardd y duwiau. *

Ei goryn hir ag eira – a guddir
    Yn dragwyddol yma;
A'r awel iach chwareua
Yn ei rhwysg drwy ddyddiau'r ha'.

Silverton, Colo, 1883   Elerch

* Parc a elwir *'Garden of the Gods'*. Dyma ddisgrifiad Daniel Protheroe ohono yn 1896:

Llanerch yn cynnwys llawer o hynodion natur mewn ffurf o furiau a cholofnau o dywodfaen coch a llwyd, ac yn ymddyrchafu i'r uchder o dri i bedwar cant o droedfeddi.

Central City yr Ymwelwyr

Central City yw canolfan yr hynaf o'r ardaloedd aur yng Ngholorado. Mae'r enw braidd yn fawreddog o ystyried nad yw, mewn gwirionedd, fawr mwy na phentref. Saif uwchben cwm Gregory Gulch lle ceir rhywfaint o dir nad yw'n rhy lethrog. O fewn cyrraedd i Central City mae llefydd eraill megis Blackhawk, Russell Gulch ac Idaho Springs, ond nid oes fawr o lewyrch arnynt bellach. Ymwelais â Central City yng nghwmni un a oedd yn enedigol o Sir Benfro ac oedd ar y pryd yn wyddonydd gyda'r *National Oceanic & Atmospheric Administration* yn Boulder, Colorado. Yn hytrach na'r adfeilion a welir mewn llawer man cyffelyb, mae gan Central City rywfaint o fywyd o hyd a hynny diolch i ymwelwyr fel ninnau.

Mae lleoliad Central City rhyw bymtheg milltir ar hugain o Denver, ac nid yw'r hen bentref yn annhebyg iawn i'r hyn a arferai fod. Saif wyth mil a hanner o droedfeddi uwchben y môr a nodwedd sy'n parhau i sefyll yn amlwg yno yw'r hen dŷ opera a godwyd yn 1878. Fe'i defnyddir o hyd drwy gydol tymor ymwelwyr yr haf. Bron yn annarllenadwy uwchben un o'r adeiladau gwelir 'Williams *Livery Stables'*. Mae'n debyg mai ef oedd y Sheriff hefyd tan iddo gael ei saethu gan un a fedrai anelu'i wn yn well nag ef. Ni wnaeth fy nghyfaill sylweddoli, mwy na minnau, pe byddem yno ganrif ynghynt, y byddai wedi bod yn anodd osgoi rhywun neu'i gilydd a fyddai wedi'n deall yn ymgomio yn Gymraeg. Wrth gyfri'r mwynfeydd o amgylch, sylweddolir iddynt unwaith fod yn fwy niferus na thri chant presennol Central City.

Ymysg y rhai a gyrhaeddodd ym mlynyddoedd cynharaf Central City oedd mintai o Gymry a deithiodd o Wisconsin mewn wagenni a dynnid gan ychen. Dyma'r daith sydd dan sylw yn y gerdd gyferbyn, ond yn wahanol i'r hyn a awgrymir ynddi, profodd ymadawiad ei fab yn ormod i'r bardd ac, yn y diwedd, daeth yntau'n un o'r cyd-deithwyr:

AR YMADEWIAD CYFEILLION

Ddoe y teimlwn yn gartrefol
'Roeddych oll wŷr llon gerllaw;
Heddiw clywed am eich bwriad –
Lawned yw y fron o fraw !
Fory byddaf adyn unig,
Neu ychydig iawn yn well,
Pe dyrchafwn lef ni chlywant,
Aethant i'r Gorllewin pell.

Gwnaed y ddaear i'w phreswylio,
Nid eich beio 'rwyf am hyn;
Os oes rhywle gwell na'i gilydd
Chwiliwch beunydd bant a bryn;
Ond cofiwch adwyth melltith Eden
Yn yr hen ddaearen ddu!
Nid oes modfedd hyd ei minion
Heb drallodion lawnion lu.

I Exodus bob Dydd Sadwrn
Y cynghorwn chwi i droi,
Ie, i'r ugeinfed bennod
Lle cewch ddiwrnod wedi ei gloi;
Cofiwch ran yr ych blinedig,
Addfwyn, diddig, ar ei daith,
Oni ddylai gael gorphwyso
Wedi gweithio ei ddyddiau gwaith.

Bellach llywydd nef a daear
Fyddo'ch nodded yn mhob lle;
Ac os digwydd ambell aflwydd
D'wedwch 'r Arglwydd yw Efe;
A gochelwch rhag rhoi angeu
Chwerwon boenau yn rhy bell,
Er cael arian, aur a gemau,
Och a gwae os heb eu gwell.

Dodgeville, Wis, 1863   G. Roberts

15

Cymry Cynharaf Central City

Fel yn achos y boblogaeth yn gyffredinol, profodd yr awydd i fynd i Gregory Gulch yn 1859 yn drech na llawer i Gymro. Mae enwau rhai ohonynt yn dal ar gael, o Evan Pritchard i Hugh Edwards, a Morris Thomas i Evan Williams. Dywedid i'r rhan fwyaf ohonynt 'droi ati ar unwaith i olchi'r pridd am aur'.

Disgrifiwyd Morris Thomas, fel un a 'lwyddodd tu hwnt i'w ddisgwyliadau yn y mwngloddiau'. Yng ngwanwyn 1860, adroddwyd bod ei gwmni, Thomas a Davies, wrthi 'yn gweithio yn galed wrth olchi yr aur, ac ystyrir hwy ymhlith rhai o brif olchwyr Gregory Gulch'. Ef a Hannah Thomas o Wisconsin oedd y Cymry cyntaf a briodwyd yng Ngholorado, a hynny yn 1863. Rhyw ugain mlynedd yn ddiweddarach, a'r ddau erbyn hynny heb unrhyw ofid ariannol, symudasant o'r ardal gan ymgartrefu yn Denver.

Erbyn gwanwyn 1863, roedd sôn am eraill yn cyrraedd o Dodgeville a Cambria – ardaloedd a fu'n gysylltiedig â Chymry yn Wisconsin. Yn wahanol i ddifaterwch y mwyafrif a ganlynai'r aur, gwelai'r rhain eisiau'r Ysgol Sul ac erbyn Awst daethpwyd i ben â chynnal un. Yn eu dilyn hwythau oedd y fintai a chanddynt ychen. Er iddynt gychwyn ar y cyntaf o Fai, ni welsant ben y daith tan fis Tachwedd. Yn eu mysg yr oedd Thomas G. Roberts a'i dad, y Parch. Griffith Roberts, a ysgrifennodd y gerdd. Ef oedd y cyntaf i bregethu yn Gymraeg yng Ngholorado, a hynny yn Central City hyd nes iddo ddychwelyd i Wisconsin yn y gwanwyn. Arferid addoli yng nghartref gŵr o'r enw Evan Williams cyn i hwnnw golli'i fywyd mewn mwynglawdd.

Er hynny, nid pawb a gymerodd at ei badell i olchi'r aur neu i'w wahanu ymhellach o'r cymysgedd o fwyn trwm haearnaidd (gwneid hynny trwy barodrwydd yr aur i ymglymu ag arian byw). Yn amlwg i holl drigolion Central City oddi ar 1862, oedd arwydd siop Jones & Evans, *Retail Grocers*. Ond fel y gwelwyd mor aml yn hanes y pentrefi mynyddig, nid arhosodd yr un o'r ddau yno'n barhaol. Dywedid i D.N. Jones ddychwelyd i Wisconsin, ond honnir i Richard W. Evans symud i Dalaith Kansas lle cafodd ei benodi'n Bostfeistr Dodge City.

Yn 1862, clywyd am Robert Owens, 'Brenin y Menyn', a arferai ddod o Wisconsin gyda'r hyn a gorddid ar y ffermydd Cymraeg. Ar ôl gwerthu ei lwyth 'dychwelodd yn ôl gyda llawer o aur mwynwyr Gregory Gulch'. Ceir sôn am ddau arall o'r un cyfnod – William N. Jones a Richard J. Williams – a ddaeth â'u llwyth hwythau o gynnyrch ffermydd Cambria, Wisconsin.

Ar ôl i'r Parch. Griffith Roberts ymadael, llenwyd y bwlch dros dro gan y Parch. William Owen. Daethai yntau hefyd o Dodgeville, ond tua'r adeg yma (1864), roedd nifer yn rhagweld y byddent yn cael cyfle gwell wrth wasgaru i leoedd eraill. Mi fyddai'n 1870 cyn i'r Cymry ymgasglu eilwaith yn Central City.

Tramwyo'r Mynyddoedd

Yng nghyfnod cynharaf y cloddio am aur yng Ngholorado, ni ellid gorbwysleisio pwysigrwydd y mul, a oedd mor weithgar â'r ymchwiliwr ei hun: ' . . . dyna y dull pryd hwnnw, prynu cwpl o asynod, tent ac ychydig lestri a bwyd'. Tystiai un arall fel hyn: 'gall y burro, Blondin y Rockies, gerdded ar ymyl finiawg dim, heb unwaith fethu carn. Bu y burro yn brif ac unig gyfrwng trafnidiaeth . . . ond y mae ei ddyddiau well wedi ei rhifo a'i waith wedi ei gwblhau.'

Ymhlith y pethau a lwythid ar eu cefnau ceid:

offerynnau profi, cwmpas a dryll
peillied i wneud bara
rhynion i wneud uwd
gwenith *(buckwheat)* er soddi *slabjacks*
swm neilltuol o'r dail Indiaidd
'*the cry*' *(coffee)* pobl Sir Aber Cardi
(beth bynnag a olygid gan yr olaf !)

Codi gyda'r wawrddydd, myned i orffwys gyda'r hedydd, wedi llafur a lludded y dydd yn dringo llechweddi, croesi afonydd a llynau, mor hapus i'r crwydryn yw ymneullduo i'r camp i ymborthi . . . Wedi cael mygyn o'r cetyn cwta, trefna ei wely. Mae yr orweddfan o gyfansoddiad y Crëwr ei hun, ac ar gynlluniad trwchus o *Colorado feathers* (cangau coed), gwasgara ei wrthbanaw. Gorwedda yng nghanol tawelwch y fro i wylio symudiadau y rhefeddodau uwchben, am enyd, ac i gysgu – ac esmwyth cwsg coffi, cig moch, a *slab jacks*!

Y dewr ymchwilydd mwnawl, ar y mynydd
Y gwelir ôl ei gamrau, cawraidd, beunydd;
Ni all ef aros yn nherfynau dirias,
Ond gedy'r cyfan am diriogaeth addas,
I gloddio am y mwynau sy'n guddiedig,
Yn nghronbil daear, mewn mangreoedd unig.

'Rôl teithio'n hir, trwy lawer iawn o rwystrau
A chyrraedd i ryw fan yn nghanol creigiau,
Heb un cymydog yno, ond yr eryr,
Pabellu dros y nos wna'n harbwr pybyr;
A chysgu gan gynllunio erbyn dranoeth,
Ac weithiau per freuddwydo am fawr gyfoeth.

Yn fore dranoeth gyda'r wawr fe gyfyd,
A cheir ef, gorff a meddwl yn llawn bywyd;
Yn agor cloriau llyfr y greadigaeth
Lle nad oedd yn un man ôl llaw dynoliaeth,
A chyda'i arf fe dry y cain ddalennau,
A chwilia'n fanwl am y cudd drysorau.

Rhwng ofn a gobaith cloddia yn bryderus,
Am ddyddiau lawer, er yn aflwyddiannus;
Noswylia'n fynych dan gymylau siomiant,
Gan feddwl nad oedd ar ei ran un llwyddiant,
Ond yn ddisymwth ar ôl treiddio'n isel,
Mae'n dod i wyddfod 'aur wythïen' ddirgel.

Seattle, 1892   D.H. Jones

Caledi Gaeafol a Llithriadau Eira

Gyda'r gaeafau'n parhau drwy'r gwanwyn ac ymlaen i'r haf, yr hyn â reolai fywydau'r mwynwyr oedd y tywydd. Caent eu rhwystro rhag gweithio trwy gydol y flwyddyn fel y gwelir yn ôl yr adroddiad isod hwn a ysgrifennwyd ar 9 Mai:

> Golwg bruddaidd sydd ar bobpeth yma, anian yn hir iawn yn deffro o'i chwsg gaeafol. Heddiw mae pob peth dan fantell wen oddigerdd rhyw lanerchau bychain yma ac acw . . . Mewn llawer man yn y *gulches* yma mae rhew ac eira yn gymysgedig am ugain troedfedd o drwch, a phob cysylltiad wedi ei dorri rhyngom a'r gweithfeydd, y rhai sydd uchel ar y mynyddoedd . . . eto i gyd mae gan yr eira ddybenion o bwys serch ei fod yn lled arw i ni. Efe sydd yn cadw bywyd yn y planhigyn a'r rhosynnau amryfal trwy daenu ei gob uchaf drostynt rhag i'r rhewynt dinystriol eu difa . . .

Mewn adroddiad arall, sonnir mai:

> Yr adeg fwyaf manteisiol i droi allan ydyw Mehefin, ac ni pharha y tymor gweithio yn y mynyddoedd uchaf ond pum mis allan o'r deuddeg.

Ond faint bynnag y medrai'r tywydd eu rhwystro, gwaeth fyth oedd y perygl a achosid gan symudiadau dirybudd yr eira:

> Bu y Marshal Basin yn nodedig am lithriadau eira *(avalanches)*, aml i hen fwynwr wedi cael ei ysgubo i'r gwaelodion islaw ar darawiad amrant.

Un o'r rhai a gafodd ei ddal yn ddiarwybod yno ar 21 Mawrth, 1883, oedd Tom Williams o Sir Aberteifi: 'claddwyd ei weddillion yn hen fynwent San Miquel . . . '

Yr un yw'r sefyllfa yn ein cyfnod ni; dyma'r bwletin tywydd a ddarlledwyd ar Ddydd Gŵyl Dewi 1997:

> Bu cwymp eira pedair awr ar hugain yn 36 modfedd yn Wolf Creek Pass, yn 22 modfedd ar Coal Bank Hill / Ffordd U.S. 550, ac yn 19 modfedd yn Purgatory. Oherwydd eira trwm a gwynt nerthol neithiwr, rhagwelir perygl llithriadau eira i gefn gwlad Mynyddoedd

San Juan a Lapata yn UCHEL.

Gan fy mod innau wedi colli cydweithiwr ifanc wrth iddo gerdded ar hyd lethrau'r White Mountain a oedd i'r gogledd o Boston, nid yw'n anodd dirnad nad yw'r llithriadau yn bethau i gellwair â hwy.

Dau arall i wynebu'r fath beryglon yng Ngholorado (ger Gunnison) yr un flwyddyn â Tom Williams oedd Thomas Owens a'i bartner di-Gymraeg, Mike Lawler:

> ... daliwyd hwy gan y llithriad eira. Cipiant bob peth gyda hwy gyda chyflymder y fellten o'r bron; ac felly yr hyrddwyd y dynion hyn am gannoedd o droedfeddi ... a phan safodd yr eira, yr oedd Owens o dan tua phedair troedfedd ohono, ond yr oedd ei bawl (defnyddiai *skis*) yn digwydd sefyll i fyny. Gweithiodd hwnnw yn ôl a blaen nes gwneud agoriad i'r awyr, a llwyddodd ar ymdrech galed i ryddhau ei hun. Cerddai ei gydymaith Lawler ar *web shoes*, wedi eu rhwymo am ei draed, ac wedi iddo gael ei hyrddio i ganol yr eira yr oedd yn amhosibl iddo ddyfod allan. Er chwilio llawer amdano nos Sadwrn, methwyd ei gael hyd fore y Sul ...

HINSAWDD Y MYNYDDOEDD CREIGIOG

Dyma eira anghydmarol – eira
    Ar goryn moel hollol,
Eira gwyn ar ei ganol,
Eira'n dew ar fryn a dôl.

Oes yma haf? mis Mehefin – a'i wedd
    Yn oer anghyffredin;
Rhy gwefl oer gaeafol hin
Oer agwedd ar yr egin.

Bold Mountain, Colo, 1890   Iorwerth Meirion

Caban y Mwynwr

Mae mwynwyr y mynyddoedd yma yn treulio rhan fawr o'u hoes mewn unigedd . . . Rhydd y dolar diweddaf am newyddiadur, felly y mae y cabanau yn llawn o newyddiaduron o bob math.

Lle arall a ddenai llawer o bobl oedd Leadville a safai i'r de-orllewin o Denver ac ymhellach i'r mynyddoedd na Central City. Oddi yno y disgrifiodd E.C. Roberts amdano'i hun yn dirwyn ei ffordd fyny'r Stray Horse Gulch at ei gaban yntau:

. . . yr ydwyf yn cael fy hunan yn ymlusgo i fyny . . . cysgodion yr hwyr yn cerdded i lawr i'm cyfarfod; mwg glas teneu y llechweddi yn rhyw esgyn o simneiau dwsin o gabanau log, a'r awyr las a thawel yn ei dderbyn i'w mynwes; a mwg tawel ein caban ninnau . . .

Dychwelai nid i unigedd y gweddill, ond i aelwyd gartrefol, ac yno'n cyd-fyw ag ef oedd Tom Roberts y Graig, W.O. Williams Canol yr Allt, a W. Hughes (Tenorydd y Wyddfyd). Ar ben hynny, 'bu yr hen gaban yn babell cyfarfod i Gymry y cymdogaethau am gyfnod maith.'
Dyma oedd y drefn o gadw tŷ a sut y byddent yn diddori'u hunain:

Tom y Graig ydoedd y prif gogydd, gyda'r Tenorydd yn gynorthwy-ydd; a Bill O. a minnau yn gwehynu dwfr, cymynu coed a golchi llestri. Ar ôl cwblhau'r deledswyddau teuliaidd rheolaidd, byddai pob un yn treulio ei oriau hamddenol yn unol o'i dueddiadau – y Tenorydd yn ymneullduo gerllaw gyda'i *six shooter* . . . Tom y Graig a ddysgai rannau o *Hyfforddwr* Mr Charles . . . fyddai y cogyddion yn myned â'r arian i'r banc, neu i'r dref i brynu nwyddau . . . byddem yn cael cyfleustra penigamp i ymarfer . . . coginio; ac yn wir, gallem ymffrostio wedi ychydig o ymarferiad, ein bod yn gallu cyfansoddi *slabjacks* mor llednais, blasus, a marchnadol â'r pen-pobydd ei hun . . .

Er hynny, gallai'r coginio symlaf beri trafferthion yn ôl un arall:

. . . pan fyddo yr *altitude* o 12 i 13 o filoedd o droedfeddi, nid oes modd braidd ferwi cloron a ffa, a rhaid cael llawer o bethau i fyny wedi eu coginio yn barod mewn caniau.

Er gwaetha'r anawsterau, rhoddai'r pedwar uchod gryn sylw i'w prydau bwyd. Penderfynwyd cael twrci a phwdin lwmp un Nadolig ac yn ôl y sôn, roedd eu rhestr siopa 'yn ysgrifenedig ar ddeuddeg tudalen *foolscap paper'*.

Wrth ddisgrifio'i fywyd yn Stray Horse Gulch, ni grybwyllodd E.C. Roberts ei fod yn ogystal wedi ysgrifennu llyfr economeg, *Cyfalaf a Llafur*, a gyhoeddwyd yn Utica yn 1887 ac yna, yng Nghymru yn 1889, ar ôl newid rhywfaint ar y testun.

Mae'r mwynwyr ar y mynydd,
Ni flinant yr amaethydd;
Y mwynwr dewr ar doriad dydd,
A'i cloddia wrth y cyfudd.

Ar hyd y llethrau yn wyllt mae'n llithro,
Y cerrig o'r aeliau a yrra i rolio;
Campwyr y goedwig glywir yn cwympo,
A'r ddaear yn rhagor welir yn rhwygo,
Mae'n anhawdd dirnad, fel mae'n darnio,
A rhuthra'r graig yn ei rhaib i'r gro.

Gwlad y mwynau, gwlad y meini,
Gwlad yr eira, gwlad yr oerni,
Gwlad yr arian, dyna ei miri,
A gwlad yr haf, dyma hi inni.

Afonydd byw o ddyfroedd pur,
Grisialaidd glan, yr oll yn glir;
A red yn llu, ânt trwy bob lle,
Nes gwneud y wlad yn ail i'r ne'.

G. D. Griffiths

Adfywiad Central City

Cyn i'r *Colorado Central Railroad* gysylltu â'r ardal yn 1872, mae'n ddigon tebyg mai siwrnai go flinedig oedd yr un o Denver i Central City. Wrth ymlwybro i fyny'r 'cwm wyth milltir', byddai'n rhaid croesi nant yn ôl ac ymlaen rhyw 58 o weithiau. Wedi i'r rheilffordd gael ei hadeiladu, byddai'n rhwydd teithio ar y trên i Blackhawk, a oedd prin filltir o Central ei hun.

Ddwy flynedd cyn agor y rheilffordd, gwelwyd adfywiad o'r newydd ym mywyd Cymraeg Central City. Unwaith eto, cyrhaeddodd eraill yno, gyda nifer ohonynt yn dod o Wisconsin, ac erbyn 1873, synnwyd pawb gan y gynulleidfa luosog a ddaeth ynghyd ar gyfer 'cyfarfod llenyddol' adeg y Nadolig – eisteddfod ydoedd mewn gwirionedd. Un o'i chefnogwyr mwyaf brwdfrydig oedd Tom Jenkins, a oedd yn enedigol o Sir Aberteifi, ac a fu'n byw yn Wisconsin o 1864 hyd at 1870. Yn ogystal â chael ei ystyried yn ddaearegwr gwych, ef oedd arolygwr rhai o fwyngloddiau mwyaf cynhyrchiol y cylch.

Er i nifer o'r gwobrwyon fynd i'r Russell Gulch a'r Idaho Springs gerllaw, Central City ei hun a ragorodd yn y gystadleuaeth gorawl. Yng nghyfarfod yr hwyr, trefnwyd cyngerdd dwyieithog y medrai eraill ei fwynhau yn ogystal â'r Cymry. Arweinydd y côr oedd y John R. Morgan a gadwai'r efail fwyaf adnabyddus a phoblogaidd drwy'r holl gymdogaeth. Byddai ei fab Evan yn ei gynorthwyo ac yn gofalu am y pedoli. Ganwyd y tad yng Nghymru ond, fel llawer o rai eraill, treuliodd gyfnod yn Wisconsin cyn dod i Golorado yn 1870.

Pan glywyd sôn fod eisteddfod daleithiol i'w chynnal yn y *Golden* ar bwys Denver i ddathlu'r pedwerydd o Orffennaf, estynnodd John R. Morgan wahoddiad i'r Cymry yn Blackhawk, Russell Gulch a Idaho Springs i ymuno â'i gôr yntau ar gyfer y gystadleuaeth. Ond ar 21 Mai, 1874, collwyd yr holl gerddoriaeth mewn tân a ddechreuodd yn y tŷ a oedd drws nesaf i'r efail. Gan fod cartrefi'r Cymry ymysg y cant a hanner a mwy a losgwyd mewn llai nag awr, bu'n rhaid archebu copïau ychwanegol o'r dwyrain. Er gwaetha'r ansicrwydd o ddisgwyl amdanynt, y côr o ardal Central a gipiodd y wobr yn y diwedd. Teithiodd Cynonfardd, beirniad y cystadlaethau barddonol yr holl ffordd o Bennsylvania, a gwelwyd Central yn fuddugoliaethus eto yn yr adran hon.

Ymddengys i'r cyfarfodydd llenyddol ddod yn rhan gyson o fywyd Central City ac yn 1877, ceir cyfeiriad at ryw gystadleuaeth neu'i gilydd lle'r aeth y cystadleuwyr yn or-frwdfrydig a throi at gweryla. Un arall a fu'n gefnogol i'r cyfan oedd Dr L.P. Davies, meddyg anghyffredin o boblogaidd yn Central City. Ymfudodd yno o Gymru yn 1885, ac erbyn 1892 clywid amdano'n darlithio ar 'Llenyddiaeth y Cymry' i Gymdeithas Lenyddol Russell Gulch. Yna yn 1890, ni ellir lai na sylwi ar y brwdfrydedd a ddangoswyd pan drefnwyd eisteddfod arall yn Idaho Springs:

Mwynhad nid bychan fydd treulio y Nadolig yn un o gylchfachau y Mynyddoedd Creigiog, a gellir dweud mai lle manteisiol iawn i ganu ydyw; mae natur fel wedi cyfleu y gwahanol amgylchiadau fel ag i gynyrchu y sain fwyaf cywrain a melodaidd ar y mynydd.'

Dinas y Cymylau, Leadville

Cyn dod at Leadville a'r Stray Horse Gulch lle arferai E.C. Roberts fyw, rhaid teithio rhyw gan milltir a hanner o Denver. Mae'r ddinas ei hun cyn uched â 10,400 troedfedd ac, wrth gwrs, mae'r mynyddoedd cyfagos yn uwch fyth. Nid rhyfedd felly iddi gael ei hadnabod fel 'Dinas y Cymylau'.

Er y sylweddolwyd mor gynnar â 1860 fod rhywfaint o aur i'w gael yn yr ardal, nid oedd Leadville yn fwy na phentref tan 1877. Dyma pryd agorwyd ystordy 'sychnwyddau' cyntaf y dref gan W.R. Owen. Ganwyd ef yng Nghambria, Wisconsin ac yn ddiweddarach, daeth yn un o brif berchnogion ystordy mawr yn Denver. Un arall ag ystordy yn Leadville oedd Thomas G. Roberts, mab yr un a bregethodd gyntaf yn Central City yn 1863. Blwyddyn yn ddiweddarach symudodd o'r ardal honno i le o'r enw Georgetown ac yno y bu hyd at yr adeg y gadawodd am Leadville yn 1879. Fel llawer o'r Cymry eraill, roedd ganddo gyfranddaliad mewn nifer o'r mwyngloddiau cyfoethocaf.

William H. Jones, gŵr a oedd yn enedigol o Benfro ac un o Gymry gwreiddiol Central City, oedd y cyntaf o feiri'r dref. Yng nghwmni tri arall, hwythau fel yntau o Dalaith Iowa ac un ohonynt hefyd yn Jones, cerddodd dros y mynyddoedd i gyrraedd Leadville yng ngwanwyn 1860. Yn union ar gyrraedd, cymerwyd ati i gynnau tanau er dadlaith yr hyn a orweddai ger y nentydd. Cymhlethwyd y golchi trwy fod y tywod yn anarferol o drwm ac yn dywyll i'r olwg. Am gyfnod ni sylweddolwyd mai plwm oedd cyfran fawr o'i gynnwys. Heblaw am ddod yn rheolwr dros sawl mwynglawdd llewyrchus, cyd-berchnogai William H. Jones dawdd-dŷ pwysig.

Yr hyn a newidiodd Leadville gan achosi tyfiant dros nos oedd y wythïen arian a ddarganfuwyd yn 1878. Cynyddodd y boblogaeth o oddeutu 5,000 yn nechrau 1879 i 15,000 erbyn Medi'r un flwyddyn. Rhwng yr aur, yr arian, a'r plwm, roedd gwerth yr hyn a fwyngloddiwyd o Leadville yn 1880 yn $15 miliwn, sef chwe gwaith yr hyn a gafwyd o ardal Central City yn ystod yr un flwyddyn.

Wrth reswm, bychan iawn oedd cyfraniad y Cymry at dyfiant aruthrol Leadville. Eto amcangyfrifid bod 500 i'w canfod yno ar ddechrau'r wythdegau. Ond er mor llwyddiannus y bu eu heisteddfodau ymysg pethau eraill, yr oedd yna hefyd ochr dywyll i Leadville. Ymhlith y rhai a gladdwyd yno mae John Preese Jones – un a ddisgrifiwyd fel bardd a llenor. O ardal chwareli Vermont, dywedyd iddo ymadael â'i deulu i 'geisio ffawd rhwng creigiau Colorado'.

Mae'r mwynfeydd wedi'u lleoli ar ochr ddwyreiniol y ddinas – a'r Stray Horse Gulch y soniwyd amdano yn rhedeg drwy'u canol. Yn y fan hon gellid canfod caban y pedwar Cymro ac er nad yw'n wybyddus beth ddaeth ohonynt hwy, nid oes fawr o amheuaeth am lwyddiant ariannol rhai o'r Cymry eraill. Ond fel pawb arall, mae'n bur sicr iddynt hwythau ddioddef yn enbyd yn 1893 gyda chwymp disymwth yng ngwerth yr arian.

Er nad yw'r Harrison Avenue ganolog â'i thŷ opera yn wahanol iawn i'r hyn ydoedd pan ymgartrefodd 25,000 yn Leadville, erbyn heddiw nid oes yno ond prin 3,000.

Eu copa yn mro'r cymylau
    Mewn tragwyddol oerni sydd,
Ac arwyddion henaint welir,
    Ar eu moelion bennau prudd;
Mewn prydferthwch yn y dyffryn
    Saif eu traed yn nghanol swyn,
Yn wisgedig gan chweg flodau
    Wrth y cornant bychan mwyn.

1883   Cynfelyn

Capel Russell Gulch

'Yr oeddwn yn teimlo fy anadl yn fyr yn yr awyr deneu, lem, yr uchelder mawr hwnnw . . . ' Dyna ymateb y Parch. R.L. Herbert i'r profiad o fynd i bregethu a darlithio yn Russell Gulch yn 1880. Teithiodd yno ar y trên i Central City a 'chael merlyn Cymreig i'm cludo yn uwch fyth, nes dyfod hyd Russell Gulch, a chael croesaw cynes gan y Cymry sydd yn doddio aur yn y creigiau moelion hynny'.

Ymgartrefodd nifer o Gymry yn y cylch yn 1870 a dilynwyd hwy gan eraill yn 1876. Trefnwyd i gynnal Ysgol Sul yn 1873 ac mae'n debyg yr aethai'r Parch. W.O. Williams atynt i bregethu o bryd i'w gilydd. Ond yr hyn a arweiniodd at godi'r capel oedd ymweliad dau frawd yn 1880 â'r chwaer Lizzie, a oedd yn byw yno. Ysgogodd hwy iddi gasglu'r arian tuag ato, a hynny, gyda chymorth gwraig arall o'r un enw â hi, a chodwyd y mil o ddoleri a fu'n ddigon i dalu'r holl ddyledion ymlaen llaw.

Dwy enwog am eu daioni – dwy od
   Am hudo doleri;
Neb yma, neb mi wn i – yn Russell
A meddwl isel am y ddwy Lizzie.

O'r holl gapeli Cymraeg ym mhob rhan o'r byd, mae'n debyg mai hwn oedd yr uchaf ohonynt i gyd. Nid anarferol ychwaith oedd teimlo fel y teimlai'r Parch. R.L. Herbert cyn i'w gorff ymgyfarwyddo â bod rhyw 9,000 o droedfeddi uwch lefel y môr. Yn ogystal â'r anhawster i anadlu, cafodd syndod hefyd wrth weld un o hen fwydydd traddodiadol Cymru, sef bara ceirch, yn cael ei osod o'i flaen mewn un cartref.

Un arall a bregethodd i drigolion Russell Gulch oedd M.A. Ellis; a dywedodd mae eu 'gwaith yn bennaf yw cloddio, a myned yn ddwfn, am drysorau cuddiedig yr hen fynyddoedd . . . ' Wrthi'n ddiwyd yn gwneud hynny ers 1870 oedd dau ŵr o Ddolgellau, Edward Jones ac Edward Williams. Am gyfnod cyn symud i Russel Gulch bu'r cyntaf yn byw yn Wisconsin a'r ail yn Missouri.

Cyfeirid atynt fel hanner y *Welsh Quartette* a bu hwythau'n gyfrifol am ddatblygu'r mwynglawdd *Champion*. Yn 1878, tua dwy flynedd ar ôl ei agor, fe'i gwerthwyd am bris rhyfeddol o uchel. Yna, yn 1886, cafwyd pris mwy na rhesymol eto am fwynglawdd arall o'r enw *Arizona*. Ar ôl arfer gwneud bywoliaeth fel mwynwyr, newidiodd y ddau i fod yn fasnachwyr a wasanaethai'r ardal. Yn ystod yr wythdegau, tybid bod rhyw gant o Gymry yn Russell Gulch.

Gunnison a'r Tri Griff Jones

Lle bynnag y codai cyfle am drysor, byddai rhai Cymry yno'n ddi-ffael. I'r dwyrain o Gunnison yn ôl yn 1883, adroddid am

William P. Lloyd a Daniel Williams yn gweithio ar eu *claims*, ac mae eu twnel i mewn dros 300 o droedfeddi. Mae Mr G. Evans ac Ellis Jones i mewn gyda hwy; maent mewn gwell argoelion yn awr nag maent wedi bod. Rhyw gwmni bach Cymraeg ydynt, ac wedi anturio llawer yn y mynyddoedd yma.

O'r fath ddisgrifiadau daw'n amlwg bod yr aur yn arfer cael ei fwyngloddio o'r creigiau yn ogystal â golchi'r darnau allan o'r ymgasgliad yn y nentydd:

Dylai pob anturiaethwr fod yn ddigon o ddaearegwr i ganfod oddi wrth ymddangosiad y graig, os ydyw yn cario peth o'r mwynau gwerthfawr . . .

Yn ogystal, codai'r angen am falu'r garreg er mwyn cadarnhau'r hyn a ganfyddid ynddi, o arian at blwm neu beth bynnag arall o bwys:

Cymerer ychydig ronynnau o'r malurion gyda swm dau cymaint o bylor a dŵr, digon i'w ddwyn yn does tew. Tyliner ef yn dda i ffurf pigfain. Gadewer i'r deisien sychu i fyny, yna doder mewn man cyfleus, gan gymuso telpyn o lo at y pinaclyn toes cymysgedig. Pan dderfydd y llosgiad, ceir y metal ar ffurf botwm yn y lludw.

Ymysg anturiaethwyr Gunnison roedd tri Chymro o'r enw Griff Jones. Caent eu hadnabod fel Griff y Menyn, Griffith Jones (yr hen ŵr), a Griff arall. Mae manylion i'w cael am y ddau gyntaf o'r tri, ond niwlog ar y gorau yw cefndir yr 'arall'.

Gan ddechrau gyda Griff y Menyn, gellir casglu mai ef oedd yr ail o'r bartneriaeth Owens & Jones o Dodgeville, Wisconsin. Cyfeiriwyd eisoes at y Robert Owen a deithiai i Central City gyda'i lond *prairie schooner* o fenyn Wisconsin. Ganed Griff y Menyn yn Nolwyddelan a'i enw llawn oedd Griffith Gee Jones. Dywedid y byddai'n arfer cynnal cyrddau llenyddol yn ei dŷ ac enillodd yntau bob cystadleuaeth farddonol yn un o ddwy Eisteddfod 1880 Leadville.

Honnwyd na fedrai neb lai na hoffi Griffith Jones, yr hen ŵr:

Mor dyner ydoedd fel y byddai yn bwydo yr adar bach bob bore yn y gaeaf. Galwai, a heidient i mewn i'r bwthyn o bob cyfeiriad; disgynnent, rhai ar ei ben eraill ar ei ysgwyddau . . . ei gaban bob amser oedd ddestlus a glân; yn gogydd penigamp, ac yn *expert* am bwdin lwmp.

Cafodd ei eni yn Llangoed, Môn, ac ef yw un o'r ychydig Gymry y ceir hanes amdano'n dychwelyd a hynny i ben arall Môn yn Amlwch.

Y GYMDEITHAS FWYNOL GYMREIG [hysbyseb]

Antur o fudd i'r tyrfau – tyr i fewn
I storfeydd y bryniau
Y fwynfa lawn, ddaw'n ddiau,
Yn Arglwyddes eurgloddiau.

Gwerthir y *shares* am 15c yr un (*par value* $1); 100 am $15. Nid oes gwell amser na'r presennol i sicrhau y stoc werthfawr hon, oblegid i fyny yr â. Gymry byw, pybyrog, YMROLWCH; mae y Gymdeithas yn deilwng o'ch cefnogaeth.

CYMRIC GOLD MINING ASSN.
P. O. BOX 1377,
DENVER, COLO.

John G. Roberts, Llywydd.
Hugh R. Hughes, Is-Lywydd.
John L. Roberts, Ysgrifennydd.

Mwynwyr Afreolus

Mewn peryglon yn fynych wrth deithio a chyda'i waith, yng nghwsg ac yn effro, oddi wrth dân a dwfr, awyr a daear, bwystfilod rheibus, a dynion mwy rheibus na bwystfilod.

Cadw llygad i sicrhau nad âi'r ochr fwystfilaidd yn hollol afreolus a wnâi nifer o Gymry yn rhinwedd eu swydd – rhai yn farshaliaid ac eraill yn siryddion *(sheriff)*. Sheriff Jesse Pritchard o Gomer, Ohio, a ofalai am gadw'r heddwch yn Central City ar un adeg. Yn ddiweddarach, symudodd i fod yn farshal dros ardal Leadville, a rhwng Leadville a Central mae Georgetown lle bu John T. Davies yn sirydd am gyfnod. Enwyd y lle hwnnw, yn ogystal â'r Griffith Mountain sydd gerllaw, ar ôl George Griffiths o Utica, sef y cyntaf i weithio'r ardal. *Sheriff* neu sirydd yn Canon City oedd W.S. Jones a'r *marshall* a'i rhagflaenodd oedd J.M. Davies. Nid y rheiny oedd yr unig rai, oherwydd bu un o'r enw Morgan Griffith yn sirydd yn Coal Creek am yn agos i bedair blynedd, ac mewn lle arall o'r enw Erie, clywyd am y Marshal Tom Williams.

Ond pa mor ofalus bynnag y bu'r Cymry rhag llithro i grafangau'r gyfraith, aeth rhai ohonynt i drafferthion ar dro:

Yng ngwanwyn 1874 aeth rhai o Gymry Spanish Bar i helbul tra yn Idaho Srings a'r canlyniad fu rhoddi rhybudd i'r Cymry gadw ymaith o'r lle. Yr oedd hyn yn fwy na allasai y Cymry ddal, ac felly ar un nos Sadwrn aeth tua dwsin o ohonynt i'r pentref; daethant i wrth drawiad â'u gelynion ar fyrder, a phenodwyd un o bob ochr i'w hymladd hi allan. Dewisodd y Cymry Evan S. Evans a'r ochr arall Ellmyn o'r enw Rueder, ond wedi mynd allan a thynnu eu dillad gwrthododd yr Ellmyn fyned yn mlaen. Modd bynnag diwedd hyn oll ydoedd i'r Cymro cywir John Hughes (Ffordd Deg) gael ei drywanu gan yr Ellmyn yn hollol ddirybudd . . .

Cafodd y golled gymaint o effaith ar ei frawd, Thomas fel na fu yntau fyw fawr ar ôl hynny chwaith.

Ceir hanes am un Griffith Evans a ymfudodd yn wreiddiol i Wisconsin ac a symudodd ymlaen i Denver yn 1867. Chwe blynedd yn ddiweddarach, ceir sôn amdano yn Estes Park, y brif fynedfa i'r *Rocky Mountain National Park* fel ag y mae heddiw:

Yma cawn iddo fynd i helbul oherwydd i Mountain Jim, fel ei gelwyd, roddi rhybudd i Evans ymadael a'r lle, yr hyn ni wnaeth . . . Y canlyniad fu i Mountain Jim ymosod ar Evans yn ddirybudd, ond profodd yr ornest hon yn angeuol i Jim a rhyddhawyd Evans ar fyrder.

Er gwaetha'r holl ddiflastod llwyddodd i gadw'i barch a mynd yn ei flaen i fod yn rhan-berchnogwr ar rai o fwyngloddiau mwyaf addawol yr ardal.

Y GROGBREN

O fewn adwy erch fynydyn – dau fyd,
    Dyfais angau sydyn;
Bywyd am fywyd fyn,
Golcheler dig ei cholyn.

Marshall, Col.   Gwlithfryn

Siop Denver House, Llan-non,
fel mae'n ymddangos ar ochr hen gwpan o'r pentref.

'Gardd y Duwiau', gyda Pike's Peak yn y cefndir.
(H-127)

Hen stablau Central City fel yr edrychent yn 1965.
(X-12747)

Monezuma fel yr oedd yn 1883.
(X - 11108)

Llwybr mynydd yn ardal Silverton, tua 1890-1910.
(MCC-1659 gan Louis C. McClure)

Y 'defaid hirgorn' gwyllt sydd i'w gweld ar y Mynyddoedd Creigiog.
Pwysant hyd at 350 pwys a phe medrid unioni'u cyrn,
byddent yn ymestyn i bedair troedfedd o hyd.

Mwynwyr yn eu caban, tua 1900.
(MCC-43 gan Louis C. McClure)

Central City dan eira, 1893.
(X-2530)

'Dinas y Cymylau', Leadville, yn 1904.
(X - 2530)

Golchi am aur yn Russell Gulch, lle bu unwaith gapel Cymraeg.
(X-61289)

Dau fwynwr ar eu taith yn ardal Gunnison.
(X-60950)

THIS TABLET IS THE
PROPERTY OF THE STATE OF COLORADO

COMMEMORATING
THE HISTORICAL IMPORTANCE OF THE

GEORGETOWN MINING REGION

THE GRIFFITH LODE (2500 FT. N.E.), LATER
A SILVER PRODUCER, WAS DISCOVERED
JUNE 17, 1859, BY GEORGE W. GRIFFITH,
FOR WHOM GEORGETOWN WAS NAMED.
TOWN SITE CLAIMED JUNE 29, 1860.
THE BELMONT LODE (5.7 MILES S.W.),
FIRST IMPORTANT SILVER DISCOVERY
IN COLORADO, LOCATED SEPT. 14, 1864.
BOOM PRODUCTIONS IN 1870s AND 1880s.
METAL OUTPUT TOTALS $50,000,000.

ERECTED BY
THE STATE HISTORICAL SOCIETY OF COLORADO
FROM THE MRS. J. N. HALL FOUNDATION
AND BY THE GEORGETOWN LIBRARY ASSOCIATION
1935

*Cofeb i George Griffith a ddaeth yno o'r ardal Gymreigaidd o Utica
yn Nhalaith Efrog Newydd.
(X-6544)*

42

Adfeilion y Mary Murphy Mine a fwyngloddwyd am dros hanner can mlynedd
ac a oruchwyliwyd ar un adeg gan y bardd Cynfelyn.
(X-60893 gan Mary Wegg yn 1954)

Ar y pumed o Fedi, 1892 'treuliwyd amser difyrrus gan y Cymry yn City Park
(Denver), pan gynhaliwyd math o lawen-ŵyl'.
Yn y golwg yn gefndir i'r parc, mae Mount Evans.
(MCC-2272 gan Louis C. McClure yn 1913)

Gregory Gulch, lle canfyddwyd aur am y tro cyntaf yn y mynyddoedd.
(X-63153)

*Ar wahân i'r Williamsburg ger Coal Creek, mae yno hefyd Williams Canyon
ond nid yw'n wybyddus a enwyd y ddau le ar ôl yr un unigolyn.
(MCC-660 gan Louis C. McClure tua 1900-1910)*

46

LLINELL ARDDUNDIRAWL AMERICA.

REILFFORDD

DENVER & RIO GRANDE,

GYDA'I hamryw gangenau yn treiddio i holl ranau Colorado a gogledd-barth New Mexico, a fundrefn fwyaf o reilffordd gul yn y byd, ac a rydd i'r TEITHIWR AR FUSNES y ffordd oreu, a fynychaf yr unig ffordd i'r prif leoedd   ac o iechyd ar

Y MYNYDDOEDD CREIGIOG,

ac i'r parthau Mwnawl cyfoethocaf, a'r dinasoedd pwysicaf yn Nghanolbarth y Cyf andir
Gwelir ar unrhyw *Fap* Reilffyrdd cywir y priodoldeb a'r angenrheidrwydd
o ddefnyddio y ffordd hon i fyned i

Denver, Colorado Springs, Manitou, Pueblo, Canyon City, Salida, Poncha Springs, Alpine, Buena Vista, Twin Lakes, Leadville, Kokomo, Breckenridge, Red Cliff, Gunnison, Crested Butte, Ruby Camp, Gothic, Silver Cliff, El Moro, Trinidad, Alamosa, Antonito, Espanola, Santa Fe, Chama, Durango, Silverton, Ouray, Lake City, a Del Norte.

Ni chystadleuir ag amrywiaeth, mawreddusrwydd, ac ardderchogrwydd

GOLYGFEYDD MYNYDDIG

y Llinell hon gan unrhyw reilffordd yn y byd, ac y mae ei Gwestdai yn y lleoedd atdyniadol y rhai goreu a geir yn orllewinol i Afon Missouri.

DWY GERBYDRES DDYDDIOL,

gyda Chwsg-gerbydau Pullman, Parlawr-gerbydau Horton, cerbydau eraill o'r mathau goreu, Cerbydau Arsylliadol, i edrych i fyny o waelodion agenau gorddyfn, awyr-gloyddion Westing house, tra yn rhedeg dros

Reiliau Dur a Phontydd Haiarn ar Bentanau o Graig,

a sicrhant y math mwyaf cyflym, dyogel, a phleserus o deithio.

REILFFORDD DENVER AND RIO GRANDE,

gyda'i chysylltiadau dwyreiniol yn Pueblo a Denver, ydyw y ffordd feraf o lawer o filldiroedd, a chyflymaf o ddeg awr rhwng pob lle yn y dwyrain a pharthau mewnol Colorado.   Y mae dros

FIL O FILLDIROEDD

o honi eisoes mewn gweithrediad, a dyma yr unig Reilffordd sydd dan lywodraethiad Colorado.

D. C. DODGE,
General Manager.

T. J. NI
General Ticket and Passenger Agent,
Denver, Colorado, U.S.A.

Hysbyseb gan gwmni rheilffordd.

47

Trên bach Pike's Peak yn y cyfnod 1890-1910.
(Darlun gan H.H. Buckwalter, rhif CHS-B1588 yng nghasgliad
Cymdeithas Hanesyddol Colorado)

Beirdd yr Ucheldir

Er bod sôn am lawer i fardd ymysg y rhai a grwydrai'r mynyddoedd, nid oes fawr o wybodaeth amdanynt, a phrin iawn yw'r enghreifftiau o'u gwaith sy'n dal ar gael. Yr un a fu'n gyfrifol am y ddau englyn sy'n ymwneud â Pike's Peak oedd Elerch (Charles Jones) a ymgartrefai yn Silverton gydag eraill a oedd yn hanu o ardal Aberystwyth. Cyfeiria un englyn o'i waith at ei gyfarfod yn Red Mountain ger Silverton ac 'wrth ymgomio ychydig â'n gilydd teimlodd Elerch ei hun yn crynu gan oerni, a dyma fel y canodd':

Yr awen dêr sy'n rhewi – O! mae'n oer
    Mewn eira rwy'n crynu,
A'r enaid bron a rhynnu
Efo y diawch auaf du.

Fel arfer nid oes hyd yn oed cymaint o fanylion am gefndir y cerddi ar gael. Fodd bynnag, yn achos Griffith Dafydd Griffiths a Chynfelyn, dau a ragorai fel beirdd yn ogystal â bod yn fwynwyr medrus, erys cryn dipyn amdanynt.

Fel un o 'hogia Festa', ymfudodd Griffith D. Griffiths i weithio yn chwareli Vermont yn 1865. Symudodd ymlaen i Golorado yn 1874 ac oddeutu 1876, ceir sôn amdano yn Russel Gulch. Ond go ansefydlog y bu ei yrfa, oherwydd mae'n debyg iddo fyw yn Leadville a Gunnison, ac yna mewn lle o'r enw Prospect at ddiwedd ei oes. Ef oedd un o'r tri Chymro a gafodd y clod am ddatblygu nifer o fwynfeydd gorau Gunnison. Bu un gŵr o'i gyfnod yn feirniadol iawn o'r hyn fyddai'i dynged pe bai wedi cadw at grafu bywoliaeth o dan iau'r Arglwydd Penrhyn – un nad oedd angen mwy i'w barchu o orfodaeth fel petai. O gael ei ben yn rhydd yng Ngholorado daeth yn rhan-berchennog ei hun ar 30 o hawliau mwynawl.

Arferai Gruffudd Daf, fel y gelwid ef, gystadlu mewn eisteddfodau lleol a'r cyfeiriad cyntaf ato yw pan osodwyd *Lleidr y Twrci* yn destun Eisteddfod Nadolig Montezuma yn 1876:

Ymfflamychodd yr holl feirdd. Canodd G. Gee yn dda. Edward Edwards ydoedd y mwyaf doniol, ond yr oedd wedi defnyddio rhan o'i gân i oleuo ei bibell mewn amryfusedd, a dyfarnwyd G.D. Griffith yn oreu.

Yn ogystal ag ym Montezuma, bu'n llwyddiannus mewn eisteddfodau eraill yn Leadville a Gunnison, a daw'r testun sydd yn yr ysgrif hon o gerdd 156 llinell ar y pwnc *Colorado*. Ynddi, dengys ddealltwriaeth arbennig o'r holl agweddau sy'n ymwneud â'r wlad y bu'n rhan o'i harloesi.

Ganed Cynfelyn (Robert Parry) yntau yng Nghastell-nedd ond symudodd y teulu i'r Fflint pan oedd yn naw oed. Cyrhaeddodd yr Unol Daleithiau gyntaf yn 1866 a symudodd i Leadville yn y flwyddyn pan welwyd prif dyfiant y lle, sef yn 1879. Ef sydd yn cael y clod am sefydlu St Elmo sydd i fyny 10 mil o droedfeddi ac i'r dwyrain o Gunnison. Symudodd yno gyda dau fab iddo a phedwar Cymro arall yn 1880. Bu'n oruchwyliwr i ddau o brif fwyngloddiau'r cylch, *Mary Murphy* a *Tom Murphy*, a derbyniodd freinlen *(patent)* am beiriant i wahanu'r cymysgedd arferol o fwynau oddi wrth ei gilydd. Erbyn 1882, roedd sôn am Gymro arall, Griffith Evans o Lanllyfni'n wreiddiol, yn rhedeg stordy mawr, ac ef a enwodd y lle yn St Elmo. O boblogaeth a fu'n agos i 2,000 ar un adeg, dim ond 64 ydoedd yn 1900, a saith yn 1930. Eto, mae'r lle'n dal i fod mewn gwell cyflwr na'r mwyafrif o'r hen *ghost towns* ac mae cynllun ar droed i'w ddiogelu fel enghraifft o fywyd fel ag yr oedd yn oes mwyngloddio'r aur.

Yn debyg i Griffith D. Griffiths, ysbrydolwyd Cynfelyn yntau hefyd gan y mynyddoedd, a daw'r enghreifftiau o waith o'i eiddo a welwyd yn gynharach o ddwy gerdd gymharol fyr sydd â thestunau tebyg: *Y Mynyddoedd Creigiog* a *Mynyddoedd Colorado*.

Gwyllt filod milain redant filoedd,
Yr oll wedi colli, i chwilio am eu celloedd;
Rhai at eu gliniau'n rhedeg trwy'r glynnoedd,
Eraill yn llwybro hyd lannau'r llynnoedd,
Ac wrth gamu dros ystum y cymoedd,
Y llew a'r blaidd roddant eu cydfloedd.

A'r carw corniog, clyw swn ei garnau
Sy'n prancio ar hyd y ponciau;
A'r ddafad wyllt, tu hwnt hithau
Yn pigo rhwng y pigau.

Hen wlad y cawrfil am ganrifoedd,
Amryw lwythau ynddi lethodd,
Ei dannedd erys yn y grai a'u dilynodd,
Mae yma heddiw, ond hwy a hunodd

Bwytasant y goedwig hyd ddannedd y graig,
Heriasant y gwyntoedd, nid ofnant yr aig;
Long, Pike, a Grace Peak,
Yw cartref y cwmwl, arnynt y trig;
Eu pennau gwyn sy' fyny yn y wig,
Yn dangos i'r byd ystormydd dig;
Yn uchel dyrrau ydyw y dorau
A rannodd ddwfr y ddaear yn ddau.*

* hynny yw, y *Continental Divide*   G.D. Griffith

Llywodraethwr John Evans

Wrth fwrw golwg dros flynyddoedd cynnar Colorado, gwelir i nifer o Gymry godi i safleoedd o bwys, ac i'w henwau ddod yn adnabyddus i'r cyhoedd yn gyffredinol. Perchennog a golygydd papur newydd Gunnison, y *Marble Times*, oedd Evan Williams o Ddolgellau. D.R. Jenkins, y 'gwerinwr i'r carn' o Kansas, oedd golygydd a pherchennog papur arall o'r enw *Coal Creek Enterprise*. Ar un adeg ymgymerodd y Parch. M.A. Ellis â'r dasg o olygu papur â'r enw anarferol *Nonpareil*.

Gan droi at wleidyddiaeth, clywir am un Henry C. James, a adawodd Cymru'n saith oed yn 1847 ac a ddaeth yn feddyg i wasanaethu un o'r cylchoedd mynyddig. Yn ogystal â dilyn ei alwedigaeth a chael ei benodi i fod ar fwrdd meddygol y dalaith, etholwyd ef hefyd yn aelod o'r llywodraeth daleithiol. Un arall adnabyddus oedd y Tom Bowen hwnnw o Langollen, gyda'i Feibl o 'agraffiad blewog 1652', ac a wnaeth ei gyfoeth 'trwy anturiaethau mwynyddawl yn y mynyddoedd'. Dyrchafodd yn y byd gwleidyddol gan orffen yn Washington lle bu'n cynrychioli Colorado fel un o'i dau seneddwr am chwe blynedd o 1883.

Gŵr sy'n haeddu rhan sylweddol o'r clod am roi Talaith Colorado ar ei thraed yn wleidyddol oedd John Evans, sef ei hail lywodraethwr o'r cyfnod cyn iddi gael ei gwahodd i'r Undeb. Roedd ei deulu yn hanu o ardal Porthmadog, ond yn Ohio y ganwyd ef ac am fod ei rieni'n Grynwyr, fe'i danfonwyd i'r *Gwynedd Boarding School for Boys* yn Philadelphia.

Meddyg ydoedd John Evans wrth ei alwedigaeth, a symudodd i Chicago yn 1848 lle bu'n Athro *Obstetrics* am ddeng mlynedd. Enwyd y dref gyfagos, Evanston, ar ei ôl ac yno hefyd mae'r *Northwestern University*, y brifysgol wych y chwaraeodd yntau ran mor flaenllaw yn hanes ei sefydlu.

Yn 1862, a thrwy ei gyfeillgarwch ag Abraham Lincoln, fe'i penodwyd yn llywodraethwr Colorado. Ond yr hyn a'i gwnaeth mor ddylanwadol oedd y modd y parhaodd ei weithgarwch ar ôl ei dymor llywodraethol. Ef, yn fwy na neb, oedd yn gyfrifol am gael y rheilffordd hollbwysig i gysylltu Denver â'r brif reilffordd a groesai'r wlad yn 1870. Ef hefyd oedd tu cefn i'r coleg a ddatblygodd gydag amser i fod yn Brifysgol Denver. Dewisodd enwau hollol Gymreigaidd ar ei blant, ac er nad oedd yn rhugl yn yr iaith, gwerthfawrogai unrhyw gyfle i lywyddu eisteddfod. Yn 1895, i gydnabod ei gyfraniad i ddatblygiad Colorado, enwyd prif fynydd cylch Denver yn Mount Evans ar ei ôl. Erbyn heddiw, mae ffordd ar gael i yrru i fyny at y copa sy'n uwch na Pike's Peak. Ar ben y mynydd hefyd mae labordy sy'n adnabyddus am fesuriadau ar y pelydrau cosmig sy'n dod o'r gofod.

Yr Annuwiol

Canon ydyw paradwys Sir Fremont, ac uffern y Dalaith . . . Ychydig o Gymry a geir yn Canon City, a'r ychydig hynny yn ennill eu bara beunyddiol trwy warchod pechod, neu gadw drws papell annuwioldeb.

Ceisiodd un osgoi'r gosb am ei droseddau:

Ymhlith y tri a ddiangodd Nos Sul o benydfa Canon City yr oedd un yn Gymro, fel y mae gwaetha'r modd. Gobeithiwn tra y bydd William Parry ar ei ymgyrch am ddinas noddfa, y bydd iddo gofio anrhydedd ei genedl o hyn allan trwy gadw draw oddiwrth bob profedigaeth.

Wrth adael Canon City sydd ar ymylon y gwastadedd a throi i'r mynyddoedd am le o'r enw Montezuma lle'r oedd ar un adeg, y tri 'anwahanadwy' yn byw yn ôl pob sôn – Dic Jones, Dic Evan a John Parry Bach, i gyd yn *'experts* ar yfed cwrw'. Dywedir i'r ddau Richard wneud *'fortune* fechan ar Fynydd Lincoln yn 1860, ac am nad oedd cwrw digon cryf, neu ddigon gwlyb, yn y gorllewin i Dic Evans, croesodd y gwastadedd i St Louis'. Cyn dyfodiad y rheilffyrdd a chyda 850 o filltiroedd, yn eu wynebu, mae'n anodd credu y medrai un fod mor sychedig.

I'r rhai a'i dymunai, roedd digonedd o ddiod ar gael ym mhob parth o'r mynyddoedd. Er nad oedd mwy nag un stryd yn y Nevadaville a oedd o fewn milltir i Central City, gellid dewis o blith 13 o dafarnau. A phrofiad heb ei ail oedd yfed whisgi lleol San Juan (sir lle canfyddir Silverton). Rhyfeddwyd llwyr-ymwrthodwr o Gymro gan ddisgrifiad un o'i effeithiau:

Bydd i un llwnc demtio dyn i ladrata ei ddillad ei hun; dau lwnc a wna iddo frathu ei glust ei hun, tra y bydd i dri llwnc ei demtio i achub ei fam yn nghyfraith rhag boddi.

Gyda'i chant o dafarnau, nid rhyfedd fod gan dref Leadville addasiad ei hun o'r gân *Oh, give a home where the buffalo roam*:

Oh, show me the camp where the prospectors tramp,
And business is always alive;
Where dance halls come first and faro banks bust,
And every saloon is a dive . . . 54

Un o'r rhai i fynychu'r fath lefydd yn Central City oedd cymeriad go anghyffredin ac iddo'r enw Cymreig Tom Evans. Er nad oedd byth i'w weld ar gefn ceffyl, cerddai o amgylch gyda sbardunau ar ei esgidiau. Ynghlwm wrth ei wregys am ei ganol oedd ei ddryll a dywedid nad oedd ganddo unrhyw fath o egwyddor wrth y byrddau cardiau. Ac fel pawb arall, daeth yn un o lu edmygwyr y Ms Millie a fernid yr harddaf o holl wragedd mynydd-diroedd Colorado.

Fel *danseuse*, hi a ddenai'r mwyafrif i'r cyngherddau ond bu'n rhaid gohirio'r rheiny pan ddiflannodd hi'n ddirybudd. Gan gredu iddi gael ei chipio gan Tom Evans, aeth nifer o'r mwynwyr i waered y cwm 'wyth milltir' yn benderfynol o'i chael yn ôl. Cynlluniwyd i'w ddwyn yntau ger bron rhyw lys hanner cyfreithiol lle'r oedd yna goeden gerllaw er mwyn ei grogi. Ond diflannodd pawb yn ôl i'r mwynfeydd yn siomedig ar ôl iddynt ddarganfod, er mawr syndod, bod y Tom Evans a'r Ms Millie wedi eu huno mewn priodas.

Y DWFR YN DDIOD

Y blodau mân ymledu wnânt
    I dderbyn gwlith y nen,
Ac yna mewn disgleirdeb hardd
    Dyrchafu wnant eu pen.

Y creaduriaid nwyfus llon,
    A yfant gyda blas,
O'r dyfroedd pur yn mhob rhyw fan,
    Heb gynen brwnt a chas.

O na bai holl ddynolryw'r byd
    Yn uno gyda hwy,
I ymhyfrydu yn y dŵr
    Fel diod addas mwy.

Yn lle rhoi'u haur a'u harian oll
    Am ffiaidd ddiod goch,
I'w gwneud yn ffol a gwan o nerth,
    A'u taflu i'r llaid fel moch.

Silverton, Colo, 1884   Gwilym Afan

Dau Bentref Glo

O ganlyniad i'r newid tymhorol yn y galw am lo, arferai ugeiniau o lowyr Erie droi i'r mynyddoedd am waith yn ystod yr hafau. Rhwng hynny a'r modd yr oedd y cloddwyr aur yn cefnogi eisteddfodau'r glowyr, rhoddodd gyfle i lawer ohonynt ddod i adnabod ei gilydd. Beth bynnag oedd eu dull o ennill bywoliaeth, boed yn lo neu aur, gwrandawent yn aml ar yr un gweinidogion yn traddodi'r un hen bregethau Cymraeg. Wrth weld y fath gymysgu, mae lle i roi rhywfaint o sylw i'r ddwy ardal lo, Erie a Coal Creek.

Pentref go fychan gerllaw y mynyddoedd a thua 30 milltir i'r gogledd o Denver yw Erie. Gwelodd y cyntaf o'i Chymry yn 1871 ac erbyn 1873 roedd Ysgol Sul yn cael ei gynnal yno. Dau Gymro, William Fransis a Thomas Rees, a redai un o'r saith neu wyth o weithfeydd glo, a rhyngddynt i gyd, denwyd oddeutu 200 o Gymry yno. Trefnwyd i ddechrau capel undebol yn 1875, a chyn i'r adeilad gael ei godi yn 1883, arferid addoli yn neuadd y dref.

I gyrraedd yr ail ardal lo o Coal Creek, rhaid teithio i'r de o Denver am 155 milltir, gan lynu'n gymharol agos i'r mynyddoedd nes cyrraedd cyffiniau tref Pueblo. Gwelwyd llawer mwy o Gymry yma, ac yn ôl un adroddiad dyma lle'r oedd 'Jeriwsalem y gweithwyr glo yn y Gorllewin'. Rhwng Coal Creek, ac yna Rockvale a Williamsburg, sydd ond rhyw ddwy filltir i ffwrdd, cyfrifid bod tua 1,500 o Gymry wedi ymgartrefu yn y cylch erbyn yr wythdegau – dywedid mai o Bennsylvania y dôi'r mwyafrif a bod nifer ychwanegol â'u cefndir mewn tri lle yn Ohio.

Er bod Ysgol Sul yn bodoli yn Coal Creek yn 1874, methwyd â'i chadw i fynd yn hir, ac ni ddechreuwyd achos crefyddol yno tan 1879. Codwyd y capel yn ystod cyfnod yr ail weinidog a ddaeth atynt am dair blynedd yn 1880. Yn 1893 yn Rockvale gerllaw, adroddid sut 'cafodd yr Ysgol Sul yn y lle hwn wledd o de a bara brith . . . ymgasglodd tua dau gant o Gymry twymgalon i'r lle.' Rhwng y digwyddiad hwn a'r cyngerdd a oedd i ddilyn, buont yng nghwmni'i gilydd am rhyw dair awr a hanner ac ni wahanwyd tan 'y diwallwyd pawb â hufen rhewllyd.'

Er i ambell eisteddfod gael ei chynnal yn Erie, medrid eu cynnal yn fwy rheolaidd yn Coal Creek a datblygwyd hwy o fod yn eisteddfodau lleol yn 1882 a 1884 i fod yn eisteddfodau taleithiol erbyn 1887 a 1888.

Roedd presenoldeb y Cymry yn amlwg mewn sawl agwedd yn ymwneud â'r dref: Cymro Cymraeg, Phillip Griffiths, oedd un o'r meiri a bu mab yng nghyfraith iddo yn bostfeistr. Cymro hefyd oedd yn gyfrifol am gyhoeddi papur y dref, y *Coal Creek Enterprise*. Ar un adeg, dioddefai'r ardal o brinder dŵr ond datryswyd hynny gan Gymro arall, J.L. Roberts, a anwyd ger Llanrwst – adeiladodd gronfa i dderbyn y dŵr a redai iddi trwy bibellau am bum milltir. Daeth un o'i ferched yn organyddes y capel a dywedid bod ail ferch iddo yn un o gantoresau gorau Colorado.

Denver ei Hun

O'i dyddiau cynnar bu Colorado'n atynfa i eraill ar wahân i'r rhai a ganlynai'r aur. Trwy'r rheilffyrdd cul a adeiladwyd i gysylltu'r mwynfeydd, roedd modd i lawer ymweld â'r mannau mynyddig hyn a oedd yn rhy anghysbell i'w cyrraedd fel arall. 'Nid wyf yn meddwl fod cymaint o olygfeydd rhamantus yn un gadwyn yn y byd â hon', nododd un wrth ddirwyn ei ffordd trwy gwm ger Canon City. Nid rhyfedd y fath frwdfrydedd gan fod y creigiau, am bellter o bedair milltir, yn codi ar y naill ochr, i fil neu ragor o droedfeddi.

Credid bod y ffynhonnau poethedig o ddŵr mwynawl yn llesol i'r rheiny a ddioddefai o afiechyd, ond profodd un ohonynt yn ormod i bregethwr gwadd tra oedd ar y ffordd yn ôl o Russell Gulch:

Bore drannoeth aethym i lawr trwy nant gul a dwfn, ac erbyn naw dyna ni yn Idaho Springs . . . Aethom i mewn i ffynon ferwedig . . . yr oedd y dŵr mor boeth fel yr oedd yn amhosibl cyffwrdd ag ef, a hwnnw yn dod allan o'r graig. Credaf fod tân ofnadwy dano rhywle . . .

Yn gynharach wrth ddechrau sôn am Denver a'r Mynyddoedd Creigiog cyfeiriwyd at y Mrs Davies sydd â 'i lle yn hanes Colorado fel un o'r un ar hugain o'r gwragedd gwyn gwreiddiol. Ymhen amser, dilynwyd hithau gan Gymry eraill ac yn 1872, clywir am Ysgol Sul Gymraeg gyntaf Denver. Adroddir hefyd fel yr arferai'r Parch. John T. Williams ddod o Erie i bregethu iddynt o bryd i'w gilydd. Yna, yn dilyn eisteddfod a gynhaliwyd ar y 4 Gorffennaf, 1882, a chyda mewnfudiad pellach o Gymry, medrwyd ffurfio'r *Cambrian Society* yn 1883. Penderfynwyd i ddechrau capel Cymraeg yn 1886 ond ni orffenwyd yr adeilad ar Stryd Walton cyn 1889.

Fel prifddinas Colorado a chanolfan fwyaf poblog y dalaith, cynigiai Denver gyfle am fywoliaeth i lawer. Gellid prynu bron unrhyw beth yn y siopau a gedwid gan Gymry – o siop esgidiau i un arall a werthai ddrylliau, un arall yn gwerthu hetiau ac un arall wedyn glociau. Gellid galw am wasanaeth Cymro o deiliwr neu droi at efail a oedd yn cael ei rhedeg gan un a adnabyddid dan yr enw Gwilym Ddu o Went. I'r rheiny a ddôi ar ymweliad dros dro o'r mynyddoedd, medrent aros naill ai gyda'r Jones a'r brawd yng nghyfraith a redai'r *Clifton Hotel* neu'r Llewelyn Rees yn y *St Charles Hotel*. Ymhlith y cyfoethocaf o Gymry Denver oedd tad yr olaf, ac yn 1892, ag yntau'n 84 oed, diflannodd tra'n dirwyn ei ffordd nôl am Abertawe ei ieuenctid. Yn ddiweddarach, darganfuwyd iddo gael ei lofruddio yn Efrog Newydd.

Un o'r rhai a ymwelodd â'r ddinas yn 1892 oedd y bardd Elerch:

Cefais i a'r wraig amser hyfryd yn Denver; buom yno am dair wythnos, ac yr oedd yn gyfnewidiad mawr i ni ar ôl bod yma [Silverton] am gyfnifer o flynyddau ymlith y mynyddau brigwynion.

Er iddo fwynhau ailgyfarfod â llawer o Gymry'r ddinas, ni fu'r cyfan yn hollol heddychlon rhyngddynt yn Denver bob amser. Roedd y capel yn perthyn i'r Methodistiaid a gwrthwynebent yn chwyrn i'r ddawns a drefnwyd gan y *Cambrian Society* i ddathlu Mawrth y cyntaf, 1887:

mae lle i ofni fod rhai o'i blaenoriaid wedi yfed digon o benrhyddid moesol y Gorllewin i fedru gwawdio egwyddorion moesol . . .

Ond llwyddwyd i gydweithredu a threfnu eisteddfod eithriadol o lwyddiannus erbyn Dydd Gŵyl Dewi 1889:
. . . synais weled cynifer o Gymry wedi dod ynghyd o bob parth o'r Dalaith; dywedid fod tua saith gant o fannau eraill . . . ac yn sicr yr oedd yr eisteddfod yn un o'r rhai gorau a welais erioed, y canu a phob peth yn dda iawn.

Rheilffyrdd di-rif yn awr redir,
Drwy y pantiau a thros y pentir.
Degau eto a adeiladir,
A golud y wlad ar y cledrau gludir.

Eir gyda'r trên yn awr am dro,
I wlad y cwmwl a'i hyfryd fro;
I anadlu'n rhwydd o'r awelon rhydd,
Sy'n hunol yn ngwlad yr hedydd.

A'r ffynhonnau mwnawl, y moddion mawrion,
Sy'n gwella clwyfau, iachânt y cleifion;
Wrth weld eu glennydd, a'u dyfroedd gloywon,
Try'r claf i ganu, anghofia ei gwynion.

Yr awyr iach sydd bur a thlws,
Yn debyg i wlad paradwys;
Ac felly y claf ddaw yma'n ddwys,
Am iechyd, cyn mynd i orffwys.

G.D. Griffiths

Llenorion Denver

Elizabeth Owen
Cyhoeddwyd cyfrol o'i barddoniaeth yng Ngholorado)

CYFARFOD ADLONIADOL
(A gynhelid gan ferched yn unig)

Mrs Llywydd a ffrindiau mae'n bleser i mi,
Gael gair o gyfrinach yn awr gyda chwi;
Dywedodd y doethawr yn bendant ers tro,
Nad ydoes dim newydd dan haul, ebrai fo.

Ond rhoswch am funud ni welai ymhell,
I lawr y canrifoedd o gaddug ei gell;
Pe yn Denver heno buasai'n ddi-feth
Yn gwrido o herwydd ynganu'r fath beth.

Pwy fase'n dychmygu am noson fel hon,
Cael cyngerdd a drama ar ddull newydd spon;
Y merched yn actio mewn gallu a threfn,
A'r dynion bob copa yn rhywle'n y cefn.

Sôn am *leading lady*, ffolineb i gyd,
Maent oll yma'n *leading*, prif gampwyr y byd;
Os oeddych yn ameu wrth ddyfod i'r lle,
Cewch lwyr argyhoeddiad cyn myned i dre.

Caraswn eu henwi a'u cyfarch bob un,
Am drefnu'r fath arlwy heb gymorth y dyn;
Gwnaf hynny'n un swp cyn myned o'r fan,
A dwedaf ardderchog y gwnaethoch eich rhan.

Mae'r dynion yn meddwl mai nhw sydd yn rhoi,
Y saim ar yr olwyn a'i chadw i droi;
Er maint e'u pwysigrwydd mewn enw a swydd,
Addefwch y gallwn eu hebgor yn rhwydd.

Hyderaf cawn eto gyfarfod fel hwn,
Mae'n iechyd i galon y blin dan ei bwn;
Cael cyfla wn werth dolar o fwyniant a spri,
A dim ond tri *nickel* a gostiodd i ni.

WN I DDIM

Wn i ddim wrth ddechreu blwyddyn
Beth a ddigwydd cyn y terfyn;
Nid oes fawr o bwys yn hynny,
'Musnes i, yw dal i wenu.

Wn i ddim pan mae'n cymylu,
Ddaw hi'n storm cyn amser medi;
Nid fy lle yw ofni'n ddyddiol –
'Musnes i, yw hau'n briodol.

Wn i ddim paham y llwydda
Ambell un, tra arall fetha;
Nid oes lles o holi ynfyd –
'Musnes i, yw bod yn ddiwyd.

Wn i ddim pam mae gofidiau
Ac amrywiol demtasiynau,
Bron a bod yn ddirifedi –
'Musnes i, yw eu gorchfygu.

Wn i ddim wrth weled deigryn
Faint y briw a wnaeth y colyn;
Nid i mi y perthyn tybio –
'Musnes i, yw cynorthwyo.

Wn i ddim pam mae drygioni
Mor ddidrafferth yma'n tyfu;
Os yw arall yn anghyfiawn –
'Musnes i, yw byw yn uniawn.

Wn i ddim paham mae croesau –
Mannau geirwon ar y llwybrau;
Ofer ceisio eu hesbonio –
'Musnes i, yw peidio cwyno.

Wn i ddim faint o ddaioni
Ellir wneuthur wrth aberthu,
Ac ymwadu'n llwyr o'r dechreu –
'Musnes i, yw gwneud fy ngoreu.

Wn i ddim ai yn eleni
Bydd fy einioes i'n terfynu;
Nid yw'n fantais i mi wybod –
'Musnes i, yw bod yn barod.

Gwilym Ddu o Went a'i Atgofion o Forgannwg

Mae y plwyf [Aberdâr] yn gorwedd mewn dyffryn ar ochr ogleddol Sir
Forgannwg, ac yn cael ei amgylchu ar y tu deheuol gan blwyf
Llanwynno, ar y tu gorllewinol gan blwyf Ystrad-ddyfodwg, ac ar y tu
gogleddol gan blwyf Penderyn yn Sir Frycheiniog. Y mae hyd y plwyf
tua saith milltir a hanner, o Nant-y-bwlch ar yr ochr orllewinol i'r plwyf,
hyd Nant-y-ffrwd, lle mae y ffin rhwng cwr de-ddwyreiniol plwyf
Aberdâr a phlwyf Llanwynno; a'i led sydd tua chwe milltir, o Bont Lluest-
wen ar y de-orllewin, a ffynnon Bryn-y-badell ar y tu dwyrain-ogledd o'r
plwyf.

Gwnaed amryw gynygion at ddefnyddio y mwyn haearn sydd mor
helaeth yn y plwyf hwn yn fore, fel y tystiolaetha gweddillion hen
dawdd-dai a ganfyddir mewn gwahanol fannau; o'r rhain yr oedd un ym
mlaen Cwm Dar, gerllaw y Bwllfa; un ar Gae Lliws, yn Llwyncoed; un
yng Nghwm Cynon, yn agos i'r Dyffryn; un mewn lle a elwir Ffwrnes-y-
garn, gerllaw Bryn-defaid; ac un arall yn Nghwm Aman, yr hwn yw yr
hynaf y mae gennym hanes amdano.

Cafodd yr olaf hwn ei adeiladu gan dri brawd o Wyddelod – un
ohonynt yn saer maen, yr ail yn of, a'r llall yn droellwr. Yr oedd y
ffwrnes yn cael ei chwythu gan ddau ddyn gyda meginau gofaint; ond
nid atebodd y gwaith i'r draul, ac am hynny rhoddwyd ef i fyny. Y saer
a'r gof a adawsant y gymdogaeth i chwilio am waith mewn lle mwy
manteisiol i wneud eu bywoliaeth; a'r trydydd brawd yr hwn a elwyd
Peter Hughes, a ddychwelodd at ei droell, gan ail gydio yn y gorchwyl o
dyrnio, a gwneud cadeiriau addurnedig, o'r rhai y mae amryw yn aros
ym mhlwyf Aderdâr hyd y dydd hwn. Gwelais un dra chywrain yn nhŷ
Rhys H. Rhys, Ysw., Llwydcoed, a dywedir mai cadair yr ynad Jones o'r
Dyffryn oedd hon. Y mae amryw ohonynt hefyd yn mhlwyf Llanwynno;

ac yr oedd un ohonynt yn y Maerdy, i'r hon y canai ei pherchennog, Mr Evan Llewelyn, fel a ganlyn, tua'r flwyddyn 1830:

Hen gadair lle bu llawer codi – yn ystwyth,
'Nol eiste' i ddifyru;
Wedi ei dirwyn o'r deri
Dros dri chan' mlynedd ryfedd ri.

Felly, oddiwrth yr awgrymiad uchod, yr ydym yn casglu fod y tawdd-dy dan sylw wedi ei adeiladu tua'r flwyddyn 1520. Y Peter Hughes uchod a dreuliodd weddill ei ddyddiau ym mhlwyf Llanwynno, a'r lle a gyfaneddai a elwir hyd heddiw, 'Llety y Turnor'.

Adeiladwyd tawdd-dy ar Hirwaen yn y flwyddyn 1666 gan fonheddwr o'r enw Maybery. Golosg coed oedd y tanwydd a ddefnyddid ato; a'r ychydig fwyn oedd yn eisiau a gludid ar gefnau ceffylau, a chwythid ffwrnes y tawdd-dy hwn hefyd gan ddau ddyn a meginau gofaint. Y swm o haearn a wnelid ohono oedd un dunnell yn yr wythnos. Y lefel gyntaf a agorwyd yn mhlwyf Aberdâr i geffyl fyned i mewn iddi, sydd ar Hirwaun Wrgant, ac at Weithfa Hirwaun. Dechreuwyd ei hagoryd tua'r flwyddyn 1786, ac fe'i hadweinir hyd y dydd hwn fel 'Y Lefel Fawr'. Ceir y rhan fwyaf o'r mwyn a'r glo sydd yn angenrheidol at waith Hirwaun ym mhlwyf Aberdâr, a'r cerryg calch a geir ym mhlwyf Penderyn.

Dringo Pike's Peak

Dyma ran o ddisgrifiad ymwelydd o Geredigion a ddringodd i gopa Pike's Peak ŷn 1881. Mae'n fynydd 14,147 troedfedd – hynny yw, rhyw wyth mil o droedfeddi'n uwch na Manitou lle y cychwynnodd ei daith:

Wedi cychwyn yn foreu o dref baradwysaidd Manitou, a rhodio tua milltir o ffordd wastad, hyfryd, ac yfed o'r ffynonnau bywiol o ddyfroedd haearn a soda, na cheir eu rhagorach, cefais fy hun wrth droed yr esgynfa, ac yno yr ydoedd golygfa arddunawl ryfeddol yn fy nghroesawu – y dyffryn tlws yn terfynu, a chreigiau aruthrol, wedi eu haddurno â byth wyrddion brenau, yn ymgodi ar unwaith o ddau tu i'r afon wyllt a ffrochionai i lawr rhyngddynt.

Dechreuais esgyn, ac wrth esgyn gwelwn uwch fy mhen ar y naill law y meini mawrion a'r cribau creigiog yn edrych i lawr arnaf mor fygythiol â phe baent y mynyddau hynny yn barod i syrthio arnaf. I fyny ac i fyny yr ymddirwynai fy llwybr cul, igam-ogam, o'r hwn, gan dewed y coed a'r creigiau, nis gallwn weled ymhell ymlaen nac yn ôl, nac i unrhyw gyfeiriad ond i fyny; mewn agenau rhwng y creigiau serth; weithiau yn croesi yr afon o'r naill lan i'r llall, ond fynychaf ar fin y dibyn mawr. Yr oedd darnau metelaidd megys plwm neu arian claerwyn, copr dyfngoch, efydd, ac efallai beth aur melyn, yn y cerrig a'r graian, yr hyn a barai i'r llwybr ac ystlysau y creigiau fflachio dan y pelydrau.

Dechreuodd y mwynder ymadaw, ac aeth y gwyrddlesni i ymddangos lawr obry ymhell ar ôl, a gwaeth na'r oll, aeth fy llwybr â mi oddiwrth yr afon gyfeillgar. Bu raid dringo y chwe' milltir olaf heb ddwfr, a daeth syched angherddol arnaf. Daethum i'r uchder hwnnw nas gall prenau dyfu ynddo, a rhoddais ffarwel i'r cyfeillion hyn. Wrth barhau i ddringo'r llethrau moelion, aethum i deimlo yn llesg a lluddiedig iawn. Yr oedd egin gwanaidd, gwanaidd yn parhau i'm sirioli, er fod y gwynt yn chwythu yn grif a'r hinsawdd yn oer. O ran anadl, credwyf y gallwn gadw yr un cyflymdra o'r gwaelod i'r pen, ond yr oedd y coesau yn myned yn ddiffrwyth ac nis gallwn bellach gerdded dros ddau ddwsin o gamrau heb gael pump neu ddeg munud o orphwysdro. Ar ôl y buaswn wedi cerdded, cerdded, a cherdded i geisio myned heibio congl rhyw glogwyn neu graig uchel, gan feddwl mai hwnnw fyddai yr olaf, deuai craig anferthol arall i'm golwg, ac arall drachefn a thrachefn, nes fod fy siomadau wedi myned bron yn anobaith.

Cyflawnais y daith o unarddeg milltir ar ôl naw awr o ymdrech galed. Yr oedd gwadn un o'm hesgudiau wedi myned yn llwyr, fel nad oedd ond yr hosan rhwng fy nhroed a'r cerrig. Bûm ar gopa Pike's Peak! Da gennyf hynny. Ond nid wyf yn meddwl y bydd arnaf flys gwneud taith gyffelyb eto.

Welsh Writings from Colorado's Gold Era

'Pike's Peak or Bust', as Colorado's gold rush became known, got its start in 1859 and amongst those enticed to journey westward were many of Welsh background. They came from such places as Cambria and Dodgeville in Wisconsin and where they had retained Welsh as their everyday language.

With the enforced banning of the Welsh Language from state schools back in Wales itself, the church orientated *Ysgolion Sul* (Sunday Schools) had become the traditional means of attaining literacy and once again they would serve those ending up in such places as Central City (from 1863), Russell Gulch (1873) and Leadville (1879). The *eisteddfodau*, with their poetic and choral competitions, became another important aspect of their cultural endeavors and amongst the more notable of such gatherings were those of Central City in 1873, Montezuma in 1876, Leadville in 1879 (two were held), and Idaho Springs in 1890. The historic writings and poetry that emerged from such *eisteddfod* competitions provide an unique and interesting insight into the prospector's way of life and of what was to become, at least in their case, a compelling attachment for the new surroundings.

Thus, one finds that the close kinship developed through a shared cabin at an elevation of 11,000 feet in Stray Horse Gulch, with its more than occasional Welsh speaking visitor, was a far cry from the usual prospector's experience of extreme loneliness. The dominance of Pike's Peak itself is noted through a couple of *englynion* stanzas written in Silverton in 1883. From Bald Mountain in 1890 came another pair of *englynion* emphasizing the harshness of winters with all the *anghydmarol eira* (incomparable snow) experienced at higher elevations. Even the gallows made it as a topic for another *englyn* from Marshal Pass. Little doubt is left as to their dependence on the burro and how satisfying a meal of *slabjacks* could be when fatigued and making camp.

St Elmo, one of the better known and best preserved ghost towns, was founded by a Robert Parry who wrote under the bardic name of Cynfelyn. Together with his two sons and four other Welshmen, he settled there in 1880.

As memorable as anything written is the longer 156 line poem entitled *Colorado* by a Griffith D. Griffiths who hailed from the slate quarrying area of Bethesda in Wales. His work has particular appeal, not only for the sensitivity shown towards the grandeur of the environment, but also for its enthusiasm and pride over what had become their new 'Centennial State'.